Franz LISZT
(1811 - 1886)

VALSE OUBLIÉE Nº 1
pour piano

T0056542

DURAND

VALSE OUBLIÉE

Révision par
LUCIEN GARBAN

LISZT

DURAND Editions Musicales
Paris, France

D.& F. 12,674

scherzando
p

cresc.

ff
appassionato
Ped.
f
ff
Ped.
p

mp
p

tr
p
pp armonioso
Ped.
poco

Ped.
dim.
mancando
dolce
Poco rit.
dolcissimo